LO QUE NOS DEJÓ MARÍA

Siete herramientas universales para la transformación en tiempos huracanados

Lily García

Ediciones ZEBRA

divinasletras
LITERATURA PARA SANAR

García Catalá, Lily
Lo que nos dejó María
Siete herramientas universales para la transformación en tiempos huracanados

ISBN 978-0-9801640-5-3

Nota al lector: Este libro ofrece una guía de información y apoyo en la búsqueda de mayor bienestar físico, emocional y espiritual. Su contenido no debe interpretarse de ninguna forma como tratamiento y/o diagnóstico médico o psicológico. Toda enfermedad o condición médica, ya sea física o emocional, debe ser tratada por un profesional de la salud especializado.

Dirección editorial y edición: Gizelle F. Borrero
Corrección de estilo: Gisel Laracuente Lugo
Corrección de prueba y revisión final: Aura Torres Fernández
Diseño y armada electrónica de la portada e interior: Kreative Ad, Inc.
Fotografías de la autora: José Bobyn

Primera edición, diciembre de 2017

Impreso por

La autora está disponible para conferencias, seminarios y talleres. Para contrataciones, comentarios o sugerencias favor de comunicarse al (787) 234-6906
E-mail: lily@lilygarcia.net
 Lily Garcia Fan Page
 @coachlily

www.lilygarcia.net

Dedicatoria

Para todas y todos los que voluntariamente salieron
a la calle a reconstruir a Puerto Rico por dentro y
por fuera, ayudando a aliviar el dolor de tantos y a
devolverles la calidad de vida que todos merecemos.

Para todos los puertorriqueños en la diáspora
que se volcaron en ayuda y apoyo para
nuestra isla, comprobando que serán
borincanos aunque estén en la luna.

Para todas y todos los que han trabajado
incansablemente para devolverle
a nuestro pueblo los servicios
básicos de agua, luz y comunicación.

Para todos aquellos que a pesar de haber perdido
tanto me han enseñado el verdadero significado de la
resiliencia, la fe y el amor por la vida.

Agradecimientos

A mi hermano del alma, Anibal Llende, por su apoyo antes, durante y después de las tormentas.

A mi comunidad de Villaverde, por dar ejemplo de hermandad y solidaridad en tiempos difíciles, y sobre todo a mi vecina María Luisa, por permitirme compartir su «energía» y así tener una laptop siempre cargada para poder escribir este libro.

A mi hermana Eva, por los mensajes de apoyo que me enviaba todos los días y las llamadas que me permitían llorar y desahogarme; y por junto a mi otra hermana, Cristy, suplirnos desde Tampa artículos que tanto nos facilitaron la vida durante esta crisis.

A mi hermana Nelly Ann y mi cuñado Paul, por llegar siempre con galones de agua congelados para mantener mi neverita fría.

A tantas personas especiales que me dieron apoyo durante este proceso tan difícil: Elizabeth, Liliana, Sandy, Glenda, Tom y muchas otras.

A Gizelle F. Borrero por su apoyo incondicional a esta publicación.

Gracias, gracias, gracias a todos y todas...

Contenido

Introducción

Me siento a escribir estas letras justo cuando se cumple un mes del paso del huracán María por Puerto Rico. El 20 de septiembre de 2017 los vientos que alcanzaron ráfagas de doscientas millas por hora nos dejaron una herida de norte a sur y de este a oeste que nos va a tomar mucho tiempo sanar.

El golpe de la naturaleza nos revolcó las entrañas a nivel físico y emocional, así como a nivel personal y colectivo. Muchos perdieron lo que les había tomado una vida entera construir. Otros, aun cuando no perdimos tanto en términos materiales, hemos vivido y en muchos casos seguimos viviendo el miedo y sentido de vulnerabilidad que nos provocaron no solo los vientos y las lluvias torrenciales, sino también el hecho de tener que reconocer que lo único seguro en la vida es que nada es seguro.

Pero a medida que transcurren los días, la mayoría de nosotros todavía a oscuras y menos de la mitad con agua corriente, descubrimos que es posible que María nos haya dejado más de lo que se llevó.

A cuatro semanas de la tormenta publiqué esta reflexión en mi muro de Facebook:

> «*He aprendido:*
>
> —*A agradecer tanto... pero sobre todo la bendición de tener agua, y de tener amistades y relaciones significativas que me han aliviado la carga un poco todos los días.*

—A estirar el gas en la estufita lo más posible.

—A reconocer el poder de la risa y el humor en tiempos difíciles.

—A regocijarme al entrar a una gasolinera, supermercado o farmacia sin tener que hacer fila.

—A desarrollar paciencia con las filas que todavía tengo que hacer.

—A tratar de no tener prisa, porque de todas maneras todo nos toma el doble del tiempo

—Los mil y un usos que le puedo dar a una bolsita plástica Ziplock.

—A recibir, cuando generalmente estoy más acostumbrada a dar. Gracias, gracias, gracias...

—A convencerme una y otra vez de la enorme capacidad para la generosidad que posee la mayoría de los seres humanos. Por más que digan lo contrario, los buenos somos más...

—A confiar en que el Orden Divino se manifiesta cuando soltamos el control.

¿Y tú, qué has aprendido?»

Las contestaciones que recibí me demostraron que la mayoría de nosotros vamos a salir de esta crisis más fuertes y resilientes que antes. La única diferencia entre este momento y otros grandes retos que hemos vivido es que, primero, físicamente estamos un poco más incómodos, y segundo, que hemos recibido el golpe todos al unísono.

En el año 2015 me separé del que había sido mi esposo y compañero de vida durante quince años, para seis meses más tarde perder a mi papá. Estaba apenas comenzando a caminar después del doloroso sentido de pérdida que me había dejado la separación, cuando papi se enfermó y murió en menos de seis meses. Sentí que mi corazón se destrozaba. En aquel momento pensé que ese había sido el año más difícil de mi vida, pero de repente llegó el 2017 a pisarle los talones.

De lo que no me cabe duda es de que de la misma forma en que me levanté del primero, me levantaré del segundo. Y yo no soy la única. Hay días, por supuesto, que nos retan la paciencia y nos llevan a preguntarnos: «¿cómo podré ayudar a aliviar tanto dolor?». Lo cierto es que cada uno de nosotros hace lo que puede, y yo puedo escribir. Quisiera que este libro se convirtiera en un recordatorio de lo que experimentamos, lo que perdimos y lo que ganamos en el proceso de aprender a vivir antes y después del golpe del «huracán del siglo».

Estoy segura de que cada uno de ustedes tiene sus propias lecciones de María: cómo han crecido, las fortalezas que han descubierto y las debilidades que quedaron expuestas cuando se cayó todo lo que los protegía. Aquí he decidido compartir algunas de las mías. Y las comparto enmarcándolas en siete grandes principios: las llamadas Siete Leyes Universales.

Estas siete leyes o principios son reconocidos como «universales» por las filosofías espirituales y metafísicas de culturas milenarias como la egipcia, la griega y la india. A pesar de sus diferencias en otros aspectos, todas estas culturas coinciden en que estas siete leyes son la base para la armonía del cosmos; el fundamento sobre el cual el universo funciona, fluye y encuentra su balance. ¿Y qué somos cada uno de nosotros sino un pequeño universo?

Estas siete leyes o principios universales son:

—Ley del Mentalismo

«Todo es mente. Todo comienza y termina en la mente».

—Ley de Correspondencia

«Como es arriba es abajo... como es adentro es afuera».

—Ley de Vibración

«Nada es estático; todo se mueve; todo vibra».

—Ley de Polaridad

«Todo tiene dos polos; todo tiene su par de opuestos».

—Ley del Ritmo

«Todo fluye y refluye; todo asciende y desciende; el ritmo es la compensación».

—Ley de Causa y Efecto (Ley del Karma)

«Toda causa tiene su efecto y todo efecto tiene su causa».

—Ley de Generación

«Todo tiene su principio masculino y femenino».

Comparto con ustedes lo que me dejó María, con el deseo de que puedan encontrar en mi dolor y mi fortaleza un reflejo de sus dolores y fortalezas, y a la misma vez hacer suyas la esperanza y el optimismo que he logrado desarrollar al descubrir que detrás de toda apariencia de crisis existe un Orden Divino. Después de todo, y en palabras del reconocido escritor brasileño Paulo Coelho: «La historia de un hombre —en este caso, de una mujer— es la historia de toda la humanidad».

En amor,
Lily

Capítulo I

Herramienta 1:
LEY DEL MENTALISMO

*«Todo es mente. Todo comienza
y termina en la mente».*

El cristal de tu mente

El martes 10 de octubre del 2017 me sorprendí cuando a tres semanas de la tormenta no tuve que hacer fila para entrar a un supermercado. Para mí fue una señal de que la situación comenzaba a mejorar un poco. Agarré mi carrito y entré disfrutándome la caricia del aire acondicionado que me regalaba el generador de energía de aquel lugar.

Iba a buscar algunos artículos para mí y otros para mami. De repente me sentí como si hubiese llegado a Disney World. Comencé a ver en los anaqueles productos que desde el día del huracán no había podido conseguir. Habían estantes vacíos, por supuesto, y la selección seguía siendo limitada, pero encontré mucho más de lo que esperaba.

En aquel momento estaba utilizando el congelador como «nevera» gracias a los galones de agua y otros envases plásticos convertidos en masas de hielo que me traían algunas amistades que contaban con planta eléctrica o mi hermana Nelly, a quien

le llegó el servicio de energía eléctrica con bastante prontitud. Así que me llevé mi jugo favorito, huevos, y otros artículos preciados.

Caminaba por uno de los pasillos donde estaban los productos congelados, satisfecha porque había encontrado la lasaña de vegetales que a mami tanto le gusta, cuando una señora me pasó por el lado empujando su carrito. «Ay bendito» –la escuche decir con cara de disgusto–«si aquí no hay nada».

No pude menos que sonreírme al escuchar el comentario. Nos encontrábamos en el mismo lugar, veíamos exactamente lo mismo, pero lo observábamos desde diferentes estados de conciencia. Cada una estaba haciendo una interpretación diferente de la realidad que teníamos frente a nosotras. Yo me sentía agradecida y satisfecha con lo que encontré en el supermercado, pues me enfocaba en lo que sí podría comprar en vez de aquello que faltaba. Ella, por el contrario, solo veía la escasez. Ahora les pregunto: en ese momento, ¿quién de las dos era más feliz?

La Ley del Mentalismo nos dice que todo es mente, que hay una Mente Universal que nos une y que cada uno de nosotros cocrea su realidad a través de sus pensamientos. Entonces todas las emociones que nos embargan, tanto las positivas como las negativas, comienzan con un pensamiento, con una interpretación de algo. De ahí que la realidad que esa señora vivía en ese momento y la mía eran completamente distintas a pesar de que ambas observábamos lo mismo a través de nuestros ojos físicos.

Todos los días tenemos la oportunidad de utilizar el poder de la mente para transformar nuestra realidad. Eso no quiere decir que tapemos el cielo con la mano y vivamos en negación de lo que está ocurriendo, sino que podemos escoger entre varias realidades que existen en el mismo espacio y, en ese proceso, elegir la paz o el conflicto; la aceptación o el coraje.

Buscando material en la Internet para mi segmento semanal «Los secretos de los felices», que se transmite a través de Wapa TV, me topé con una investigación interesantísima de una psicóloga de la Universidad de Nueva York. Sus experimentos validan el hecho de que la forma en que decides ver una situación hará la diferencia en tu nivel de ansiedad o de paz y bienestar. La doctora Gabrielle Oettingen estudió lo que se conoce como *mental contrasting* o técnica de contraste mental.

Esta técnica sugiere que en medio de una crisis hay menos ansiedad cuando reconocemos los retos u obstáculos que tenemos de frente, en vez de convertirnos en optimistas «ciegos» que piensan que todo va a estar bien sencillamente «porque sí».

En otras palabras que si yo reconozco que esta situación es difícil, que me siento insegura y en ocasiones molesta ante tanta ambivalencia, puedo entonces contrastar esa realidad con lo positivo que también trae la situación. El azote del huracán María nos movió los cimientos de nuestra comodidad y estabilidad económica, física y emocional. Pero, por otra parte, también nos permitió descubrir nuestra capacidad para la transformación, el desapego, la solidaridad y la resiliencia.

Contrastar estas dos realidades nos permite ver cualquier crisis con un optimismo basado en la realidad. Así, en vez de dejar que la negatividad nos robe la esperanza, podemos descubrir posibilidades ante cualquier reto. Sí, es cierto lo que dice el refrán, todo se ve de acuerdo al cristal con que se mira, pero somos nosotros los únicos que podemos ajustar esa visión. Tener la perspectiva adecuada puede representar la diferencia entre ser una víctima o un sobreviviente en cualquier momento de crisis. Te invito a que ajustes tu cristal y descubras cómo tu mente siempre puede interpretar cualquier situación de una forma más saludable.

Ejercicio de transformación 1

1. ¿Qué fortalezas descubriste en ti a raíz de la experiencia con el huracán María o cualquier otra crisis reciente?

2. ¿Qué debilidades o actitudes negativas salieron a relucir en este proceso?

3. ¿Qué ves diferente ahora después de afrontar esta crisis?

Capítulo II

Herramienta 2:
LEY DE CORRESPONDENCIA

«Como es arriba es abajo...
como es adentro es afuera».

De adentro pa'fuera

Cuando dos días después del huracán María escuché el celular sonar y vi que la llamada era de Ana, mi asistente y hermana del alma, algo me dijo que las noticias no serían buenas. Con voz entrecortada me narró cómo los vientos de María le arrebataron su casa. Lo vio ocurrir desde la casa de su hermana, en la misma loma en el pueblo de Naranjito donde también viven sus padres y donde ella se crió. Lloramos juntas en ese momento, y estoy segura de que lo seguiremos llorando durante mucho tiempo.

Al día siguiete Ana volvió a llamarme. En esta ocasión me anunciaba que había podido llegar hasta el área donde yacía lo que quedó de su casa y rescatar un vestido, un par de zapatos, y una botella de vino. «Así que nos podemos ir a bailar», me dijo con esa fortaleza y sentido del humor que la caracterizan. Y es

que así somos; por momentos débiles, por momentos fuertes; por momentos seguros de que vamos a poder con esto y más, y por momentos niños asustados, queriendo escapar del sentido de impotencia ante la necesidad de tantos.

A veces, las crisis nos empujan a vivir en un sube y baja emocional que nos va drenando poco a poco. Esta vez, la escuela de tolerancia, paciencia y resiliencia llamada «María» nos obliga a observar constantemente nuestras emociones y las reacciones que nos provocan. Dice la Ley de Correspondencia que «como es adentro es afuera y como es afuera es adentro». Este principio nos recuerda que todo lo grande tiene una correspondencia en lo pequeño y viceversa; nos dice que lo que construyes consciente o inconscientemente en tu interior, lo verás reflejado afuera.

Recuerdo que cuando leí por primera vez acerca de este principio de correspondencia lo que me hizo entenderlo fue la imagen tan clara de cómo la estructura de un átomo es igual a la estructura de nuestro sistema solar: un centro con partículas que oscilan a su alrededor. Como ese, existen muchísimos ejemplos de correpondencia en el mundo físico.

¿Cómo se manifiesta entonces este principio en nuestras vidas? Vamos a notar que nuestro mundo va a responder a nuestro estado interno de conciencia. Y en momentos de crisis, esta manifestación de la correspondencia va a hacer una diferencia enorme en la forma en que cada uno de nosotros se va a adaptar a los cambios que inevitablemente acompañan todo proceso de crisis.

Toda crisis conlleva algún tipo de pérdida, sea física o emocional. Tomemos por ejemplo este golpe que hemos recibido de la naturaleza. Visualizar la etapa post-María como parte de un proceso de duelo me ha ayudado mucho a apoyar a otros. Nuestra vida se ha llegado a definir como AM (antes de María) y DM (después de María).

La primera etapa del duelo según definida por la siquiatra suiza Elizabeth Kübler Ross, es la del *shock* o negación. Semanas después de la tormenta, por ejemplo, todavía había muchas personas en estado de negación y, por lo tanto, completamente paralizadas. De la misma forma que estaban por dentro, así se reflejaba su mundo externo, generando frustración en sus círculos famliares y de amistades, esperando a que otros hicieran lo que a ellas les tocaba hacer. «Este no se mueve» o «esta no hace nada por ayudarse», son algunas de las frases que podemos escuchar al describir a las personas que se encuentran en esta etapa. En momentos en que puede ser necesario actuar —bien sea ayudando a recoger escombros, a limpiar estructuras, comenzar a reparar daños o hacer filas para conseguir baterías, gasolina o agua—, la persona en negación se congela mientras logra procesar lo ocurrido a nivel mental y emocional.

Otros se estancan en el coraje. Disparan verbal y físicamente contra todo y todos. Buscan a quién echarle la culpa por algo de lo que nadie tuvo ni tendrá control. Al escoger vivir en un estado de frustración y agresividad, creamos un mundo hostil no solo para nosotros, sino para todos aquellos que nos rodean. No obstante, ambas etapas, tanto la negación como el coraje, son necesarias en el proceso de superar una pérdida. Lo peligroso es estancarse en ellas.

A esas dos etapas, por lo general, les sigue la del dolor o depresión. Recuerdo que una semana después de la experiencia del huracán María, todavía lloraba cada vez que le narraba lo ocurrido ese día a alguien que me llamara desde afuera de Puerto Rico. Sin embargo, catorce días después, con las comunicaciones reestablecidas solo de forma parcial, sin haber podido trabajar luego de que todos mis eventos fueran cancelados y sin electricidad en mi casa, publiqué el siguiente mensaje en Facebook:

«Aunque comenzó a azotarnos un martes en la noche, fue el miércoles de madrugada que, por lo menos en mi área, se sintió el golpe más duro. Todavía cuando recuerdo la furia del viento y la lluvia ese día entre las seis y las nueve de la mañana, se me estruja el corazón. Yo soy bastante valiente para esas situaciones, pero tengo que admitir que sentí miedo.

¿Cómo me siento hoy? Ayer me ahorré veinte dólares en Walgreens porque era «martes de seniors» y lo celebré como si me hubiese ganado la Loto. Y sí, ya cualifico para el descuento y no me avergüenzo al decirlo.

Me comí una pizza con una Medalla fríita por primera vez en mucho tiempo junto a mi hermana, después de estar yo horas en tapones y ella haciendo fila en un banco. Era justo y necesario.

Vi cómo en la gasolinera que tenía filas de hasta ocho horas la semana pasada, ya la gente llega en el momento, como antes, y llena su tanque. Sé que no es así fuera del área metropolitana, pero tengo que celebrar un logro a la vez.

He convertido mi laptop en mi sala de cine en las noches cuando puedo conseguir dónde cargarla. Veo películas viejas que tengo en casa y me las gozo como si fuera la primera vez. Eso me ayuda a desconectarme de la realidad por un ratito y recargar baterías para el próximo día.

Todas las noches hago una agenda de prioridades para el siguiente día y así busco tener una estructura. Siempre surgen asuntos familiares o de amistades que resolver, y se va alterando la agenda según llegan nuevas necesidades.

Como a muchos, la preocupación por la falta de trabajo llega por momentos. Pero algo me dice que todo va a estar bien, que cuando uno vive en conciencia de prosperdidad, lo que tiene que llegar llega.

Todos los días en esta nueva realidad me recuerdan lo poco que necesitamos para ser felices y que la bendición más grande que tengo, además del agua, por supuesto, es la de las relaciones que he cultivado a través de los años. Todo se puede cuando contamos con el poder y la energía maravillosa de nuestros grupos de apoyo de familia, tanto la de sangre como la escogida.

Seguimos un día a la vez, creciendo como individuos y como nación, y celebrando cada pequeño logro llenos de fe y de esperanza. ¡Los quiero!».

Es al expresar nuestros sentimientos, llorando, escribiendo o hablando, que comenzamos a soltar el dolor en momentos difíciles. Y solo entonces podremos dar pasos hacia adelante. Al poco tiempo de escribir esas líneas me empezaron a llegar las solicitudes para ofrecer charlas y talleres. Como es adentro, es afuera. Al crear un espacio interno de satisfacción, enfoque y generosidad, estaba preparando el espacio para que el universo respondiera. Y poco a poco, pasito a pasito, vamos llegando a la aceptación de nuestra nueva realidad.

Es posible que sientas que durante esta u otras crisis en

tu vida, has pasado por todas las etapas del duelo en un solo día. No hay problema con eso. Tengo que confesar que en algún momento las he vivido todas en media hora. Lo importante es que en ese sube y baja podamos reconocer dónde estamos para poder seguir siempre hacia adelante, reconstruyendo internamente el mundo que se manifestará en el exterior.

Ejercicio de transformación 2

1. ¿Puedes identificar haber pasado por alguna etapa del duelo durante esta u otra crisis reciente?

2. ¿Qué actitud interna pudo haber influenciado de forma positiva o negativa tu mundo externo?

3. ¿Qué quieres crear en esta nueva etapa en tu vida y cómo estás trabajando contigo para que eso que tanto ansías se manifieste?

Capítulo III

Herramienta 3:
LEY DE VIBRACIÓN

«Nada es estático; todo se
mueve; todo vibra».

Atraemos lo que somos

El huracán María me agarró con el tanque de gasolina lleno, así que no tuve que salir a buscar combustible hasta casi una semana después. Había notado que la fila de vehículos frente al portón de mi urbanización, a dos cuadras de una gasolinera, comenzaba ya desde las seis de la mañana. Así que aquel día, con apenas un cuarto de gasolina en el tanque, salí a las cinco de la madrugada, justo la hora en que terminaba el toque de queda, para encontrarme con que ya había cerca de cien vehículos esperando para reabastecerse. La desorganización era tal que nadie sabía dónde comenzaba o dónde terminaba la fila. De modo que decidí irme e intentarlo de nuevo en la tarde.

Cuando regresé a las tres de la tarde, la línea de carros seguía siendo larguísima. Mi hermana Nelly Ann, quien me acompañaba ese día, y yo nos detuvimos a preguntarle a una amiga que llevaba cuatro horas en fila dentro de su carro

que cómo veía la situación. «Creo que voy a estar dos horas más aquí», nos dijo resignada. Frente a nosotras había una joven repartiendo barritas nutricionales como parte de una promoción. La pobre no daba abasto corriendo calle arriba y calle abajo regalando esperanza azucarada a los tantos conductores ya hartos de estar allí.

Al escucharme preguntar acerca del tiempo de espera se acercó y me dijo que había estado en otra gasolinera del área y que había menos gente esperando. Además añadió que estaban dando prioridad a personal de emergencia y prensa. «Si les enseñas tu identificación, seguro que te dejan pasar».

Al parecer ella me había reconocido por mi rostro o por mi voz y automáticamente había asumido que yo tenía que tener una identificación oficial de prensa. Pero lo cierto es que aunque escribo una columna para el diario Metro, tengo una sección semanal en el programa *Wapa a las cuatro* y durante la tormenta colaboré activamente con Radio Isla 1320 AM, no trabajo «oficialmente» como periodista con ningún medio y por ello no cuento con una identificación de prensa. Le agradecí la sugerencia y me fui del lugar, pero al hacerlo ya intentaba prepararme mental y emocionalmente para tener que salir de casa al día siguiente a las cuatro de la mañana para probar de nuevo.

Fue mi hermana quien me sugirió que llegáramos comoquiera hasta la otra gasolinera porque no teníamos nada que perder. Así que hasta allá fuimos. La fila era kilométrica, pero aún así no estaba tan larga como la otra. Me acerqué hasta la entrada del local y me detuve al lado del primer vehículo en fila. Respiré profundo y le hice un gesto al caballero que dirigía el operativo de los turnos. Cuando logré captar su atención le dije: «Perdone, soy Lily García de Radio Isla. Me dijeron que aquí estaban dando prioridad a la prensa». El hombre casi ni me dejó terminar. «Claro, Lily, pasa».

Yo no me atrevía ni a mirar a mi hermana. Parte de mí quería llorar de la alegría, parte se sentía culpable y parte quería salir gritando a abrazar y consolar a los que llevaban horas allí. Llenamos el tanque y tan pronto salimos le dije a mi hermana: «Esto ha sido un milagro y una bendición. Tenemos que buscar la forma de hacerle un favor a alguien para pasarlo p'alante».

Como dice la Ley de Vibración: «Nada es estático; todo se mueve; todo vibra». Este principio nos recuerda que no existe nada en el universo que sea sólido y estático. Todo, por más firme e inflexible que parezca, a nivel microscópico está hecho de partículas que están vibrando. El mismo principio nos aplica a nosotros: a nuestros cuerpos, emociones y pensamientos. Lo curioso del mundo de la energía es que a diferencia del mundo de la materia en el que los polos opuestos se atraen, a nivel energético siempre vamos a atraer aquello que estamos generando. En otras palabras, atraemos aquello que es afín a nuestra vibración. Esa es la base para el popular concepto de la Ley de Atracción. Tu nivel de vibración va a determinar lo que vas a atraer a tu vida. Y cuando vibras en agradecimiento y en deseo de practicar la generosidad, las oportunidades siempre aparecen.

No llevábamos ni cinco minutos de camino cuando me detuve en un cruce en el que, por supuesto, no funcionaban los semáforos. Justo a mi lado vi a una señora parada en una esquina debajo de un puente. Se veía cansada y pensé que podía ser una de las muchas empleadas domésticas que trabajan en urbanizaciones del área y dependen del tren urbano o las guaguas para poder ir y venir todos los días. A tan pocos días del huracán todavía no se había reanudado la transportación pública.

Bajé el cristal y le pregunté si esperaba a alguien o si podía llevarla a algún lugar. Me dijo que no tenía cómo comunicarse con su hija y había caminado más de media hora desde la casa donde trabajaba hasta allí a ver si conseguía cómo llegar a un área cercana conocida como Reparto Metropolitano. Le ofrecí "pon" y aceptó. La señora cargaba con un galón de agua que había pensado congelar en la casa donde trabajaba porque allí tenían un generador de electricidad. Pero para su mala suerte, la planta eléctrica se había dañado y ni siquiera había podido cargar su celular.

Llevarla hasta su casa, fue toda una hazaña no porque el lugar fuera remoto, sino por la cantidad de escombros que había en las calles, y por la muchedumbre que hacía fila en el área para comprar hielo en una de las pocas fábricas de hielo que funcionaban en la zona metropolitana. Pero llegamos. La señora me abrazó y me apretó y me echó veinte bendiciones. Y yo sentí que había devuelto un milagrito con otro. Después de ese día, me he quedado con la costumbre de ofrecerles transportación a mujeres, casi todas empleadas domésticas, que veo caminando cerca de donde vivo. Siento gran satisfacción de aliviarles un poco la carga de su día especialmente en estos momentos de recuperación cuando todo nos cuesta el doble de esfuerzo.

El hecho de que una persona sea próspera no tiene nada que ver con la cantidad de bienes o dinero que posea.

La prosperidad y la escasez son estilos de vida y responden a frecuencias y vibraciones mentales particulares. Cuando en medio de una crisis como la vivida post-María escogemos vivir en un estado permanente de agradecimiento por cada pequeño logro alcanzado y al mismo tiempo buscamos oportunidades para ofrecer nuestra generosidad y solidaridad al compartir con los demás lo poco o mucho que tengamos, la prosperidad se manifiesta porque es lo que estamos atrayendo. Cuando, por el contrario, permitimos que el miedo, la desconfianza y la distintinción entre lo que es «mío» y lo que es «tuyo» sea lo que nos mueva, escogemos vivir en una conciencia de escasez.

Que el huracán María nos recuerde que no importa cuán bajas puedan estar las vibraciones a nuestro alrededor o cuánta negatividad estemos respirando, siempre podemos escoger elevar la vibración de nuestros pensamientos y emociones. Haciéndolo atraeremos inevitablemente aquello que necesitamos para hacer de nuestro propósito una realidad.

Ejercicio de transformación 3

1. ¿Qué pequeño o gran milagro atrajiste a tu vida durante esta u otra crisis que has vivido?

2. ¿Qué emociones o pensamientos han afectado tu vibración de forma negativa en época reciente? ¿Qué puedes hacer para elevarlos?

3. Completa la siguiente oración:

*Sé que estoy viviendo en una conciencia de prosperidad cuando*_____

_____

_____.

Capítulo IV

Herramienta 4:
LEY DE POLARIDAD

*«Todo tiene dos polos;
todo tiene su par de
opuestos».*

Cuidado con los extremos

El grupo de teatro al que pertenezco decidió preparar un espectáculo de comedia post-María en el que cada una de las actrices escribiríamos un *standup comedy* acerca de nuestras experiencias con el huracán. Yo supe inmediatamente cuál sería el tema de mi segmento. Entre las bendiciones que me ha traído esta crisis ha estado pasarla sin marido. ¿Por qué digo esto? Por la cantidad de amigas que tengo que dicen que «matarían» a sus esposos luego de este proceso. Hablando medio en broma y medio en serio, momentos desafiantes como estos tienden a convertirse en grandes pruebas para las relaciones de pareja porque o las fortalecen o terminan debilitándolas al agrietar aún más las fisuras que ya las inducían a la separación.

Está documentado que hombres y mujeres tendemos a manejar las pérdidas de formas diferentes, y en capítulos anteriores hemos establecido que el manejo emocional de la

experiencia post-María puede ser, en muchos sentidos, similar a un proceso de duelo. Pero, al parecer, las pérdidas no son lo único que enfrentamos de formas distintas los hombres y las mujeres. Mientras buscaba material acerca de qué puede hacer tan difícil este proceso para tantas parejas, me encontré con un artículo muy interesante acerca de cómo, a nivel psicológico, los hombres tienden a minimizar situaciones críticas, a diferencia de nosotras, que tendemos a maximizarlas. Estamos hablando, claro está, en términos generales, porque pueden haber excepciones o parejas en las que haya un buen balance en términos de interpretación y manejo de situaciones estresantes o difíciles.

Pero esta aparente tendencia de los hombres a la «minimización» en momentos de crisis puede explicar, por ejemplo, por qué muchos de ellos esperaron hasta última hora para hacer preparativos, mientras que sus compañeras ya tenían una lista de tareas a realizar desde que se dio el primer aviso de que una depresión tropical estaba a punto de formarse. Conozco parejas que aunque el esposo pensaba que era rídiculo que compraran una estufa de gas porque según ellos «si se va la luz, va a volver en par de días», la esposa no solo la había comprado sino que también incluyó en la transacción una caja de tanquecitos de propano.

El problema aquí no está en el hecho de que se enfrente la crisis desde dos polos opuestos, sino en reconocer esas diferencias y aprender a complementarnos. Aquellos que logran fortalecer su relación durante épocas difíciles como estas, no necesariamente lo hacen porque sean similares en sus formas de pensar. Lo que estas parejas hacen de un modo distinto es aprender a balancear aquello en lo que discrepan. Algunas de las características que tienen estas relaciones son: la capacidad de trabajar en equipo a la vez que confían el uno en el otro; de validarse en vez de criticarse constantemente; y de reír y llorar juntos cuando el momento lo requiera.

La Ley de Polaridad nos dice que «Todo es dual. Todo tiene dos polos, todo tiene su par de opuestos, los semejantes y los antagónicos son lo mismo». Los opuestos, en otras palabras, son diferentes grados o intensidades de la misma energía. En una pareja, el hecho de que cada integrante maneje la misma crisis desde un polo diferente no quiere decir que no le importe lo que ocurre o el bienestar de las personas que son afectadas. Las emociones que motivan las acciones de los hombres y las mujeres pueden ser completamente diferentes, aunque exista el mismo grado de compromiso. Esas diferencias son las que pueden llevar a que la relación se polarice.

En momentos de grandes retos la polaridad no solo se manifiesta en las relaciones de pareja y familia, sino también a nivel individual. Si algo es cierto de las crisis como la que vivimos, es que provocan la manifestación de lo mejor y lo peor en nosotros; sacan a relucir nuestros ángeles y demonios internos. Y si el principio o la llamada Ley de Polaridad establece que los aparentes opuestos son extremos de la misma cualidad o energía, entonces es más facil entender cómo nuestras más grandes virtudes se pueden convertir también en nuestros peores defectos. ¿Cuántas veces hemos escuchado la tan trillada frase «del amor al odio hay solo un paso»?

En muchos aspectos, María se ha convertido en una gran maestra. Una de sus lecciones consiste en ayudarnos a reconocer fortalezas y debilidades de las que tal vez no éramos conscientes. La pregunta obligada es: ¿qué vamos a hacer con esa información de ahora en adelante?

En las charlas y talleres que ofrecí justo después de la tormenta, le pedía siempre a los participantes que compartieran cuáles eran aquellas fortalezas y debilidades que habían descubierto en ellos a raíz de esta experiencia. Entre las fortalezas más comunes estuvieron la resiliencia, la paciencia y la habilidad para disfrutar de los momentos simples de la vida a pesar de la carencia que se sufría. Las debilidades siempre resultaban más difíciles de enumerar. Sin embargo, en una de las charlas, una de las participantes me admitió que a nivel emocional le resultaba muy difícil aceptar que su hija de siete años no tuviese todas las comodidades a las que siempre estuvo acostumbrada. La niña no se quejaba, pero la madre sufría por lo que no podía proveerle. Es la misma preocupación que toda madre y todo padre tienen al ver a sus hijos pasar por momentos difíciles y no poder aliviar la situación. No obstante, en este caso, había otro agravante.

Resulta que la mujer, una profesional muy exitosa, reconoció que su cualidad más sobresaliente, la capacidad para la organización y la estructura, era justo lo que en este tiempo alimentaba su ansiedad y la sacaba de su centro. Ella no sabía funcionar dentro de un ambiente donde la cualidad más importante fuera aprender a fluir con los cambios y adaptarse al momento. Esa destreza requiere que dejemos la esctructura a un lado por un ratito y nos pongamos creativos. Lo que había sido su mayor fortaleza a nivel profesional y personal hasta ese momento, ante el reto impuesto por el azote del huracán María la estaba debilitando. El hecho de hablar de forma abierta sobre el tema la ayudó a entender que tenía que soltar el control y aprender a fluir, de la misma forma en que su hija lo estaba haciendo.

Sentirnos vulnerables e inseguros muchas veces nos saca de balance, nos arrastra hacia los polos y nos empuja a nuestros extremos. Podemos querer suplir las necesidades que tienen nuestros seres queridos, por ejemplo, y al no tener posibilidades de hacerlo o ver que ellos no agradecen lo que hicimos, saltar de la compasión y la generosidad al coraje. Si no nos mantenemos en un estado de alerta continuo, observándonos y reconociendo a qué estamos reaccionando, nos encontramos oscilando entre opuestos de la misma energía emocional: la generosidad y el egoísmo; la conciencia de escasez y la de prosperidad; el miedo y la fe; el desapego y la necesidad de control; la risa y el llanto; la esperanza y el desasosiego; el optimismo y el pesimismo.

El monje budista Thich Nhat Hanh nos invita a trabajar con las polaridades emocionales visualizándolas como si fueran una tormenta. En uno de los capítulos de su libro *Be Free Where You Are*, el maestro describe la similitud entre las emociones y un fenómeno atmosférico. «Cuando llega una tormenta, se queda por un tiempo y después se va. La emoción hace lo mismo; llega, se queda por un tiempo y después se va. Una emoción es solo una emoción».

Luego de esta introducción el autor explica cómo podemos manejar esta emoción al estar presentes con ella y así evitar que llegue a manifestarse de forma extrema. El primer paso consiste en darnos cuenta cuando surge la emoción. El segundo sería dirigir nuestra atención al área del abdomen, centro de nuestro cuerpo y de la estabilidad emocional. Y el tercero, comenzar a respirar de forma consciente mediante la expansión del abdomen cuando inhalamos y la contracción cuando exhalamos. «Ya sea sentado o acostado, agárrate de la respiración como una persona en medio del océano se agarraría de un salvavidas. Con el tiempo, la emoción pasará», asegura el maestro. Y así, una respiración a la vez, aprendemos a evadir los polos y escoger transitar por el camino del medio, el camino del balance perfecto.

Ejercicio de transformación 4

1. ¿Cuáles consideras que son tres de tus mayores fortalezas?

2. Identifica el polo negativo de cada una de ellas y cómo se ha manifestado en tu vida.

3. Visualiza un momento durante esta u otra crisis en la que te has polarizado y salido de balance. Siente la emoción que surgió en ese momento. Practica la respiración consciente descrita en el texto. Inhala y exhala durante cinco minutos mientras diriges tu atención al área del abdonmen. ¿Cómo te sientes después?

Capítulo V

Herramienta 5:
LEY DEL RITMO

«Todo fluye y refluye;
todo asciende y desciende;
el ritmo es la
compensación».

Vamos subiendo y vamos bajando

Mi amiga Zaida llevaba varios años echándole el ojo al árbol de Navidad de sus sueños, esperando a que le bajaran el precio. Aquella belleza costaba entre doscientos a trescientos dólares, pero no tenía el dinero para comprarlo. Para la Navidad de 2017 ni pensarlo, luego de que los vientos del huracán María le llevaron a mi amiga sus pocas fuentes de ingreso.

Cuál fue su sorpresa cuando a pocas semanas del huracán, en uno de esos días raros en los que su teléfono móvil tuvo señal y pudo entrar a Facebook, se encontró con la foto de «su árbol». Alguien estaba vendiéndolo en una de esas páginas de compra y venta de artículos en segundas manos. Solo costaba quince dólares.

Zaida contactó de inmediato a la vendedora. «¿Pero funcionan las luces?», le preguntó. La mujer le contestó que sí, que solo lo había utilizado dos años y que estaba en excelentes

condiciones. Mi amiga se cuestionó si sería prudente invertir quince dólares en algo que aunque quería, no necesitaba. Pero pensó que sería una excelente manera de alegrar esa Navidad para ella y su hija.

Compradora y vendedora se encontraron en el estacionamiento de un supermercado para realizar el intercambio. Fue en ese momento que una simple transacción entre dos extrañas se transformó en una experiencia que posiblemente ninguna de las dos olvidará. Mi amiga le preguntó que por qué lo vendía tan barato. La mujer confesó lo que Zaida ya imaginaba, que se iba de Puerto Rico. Le contó que estaba desempleada y que tenía cuatro hijos. Le hizo saber que se iban porque no les quedaba más remedio. Zaida la abrazo y lloraron juntas.

En ese momento mi amiga se sintió culpable de que su ganancia significaba la pérdida de otra. Entraron al supermercado y, con el poco dinero que le quedaba, Zaida le hizo una compra pequeña para ella y sus hijos. Allí se despidieron.

Todos los días escuchamos historias acerca de aquello que el huracán María nos ha robado o nos ha regalado. Lo que jamás debe robarnos, ni María ni nadie, es la capacidad para que nos importe el dolor de otros. El día que perdamos eso, el día que perdamos la empatía, entonces sí que lo perdimos todo.

Mientras tanto, no nos queda otra alternativa que entender que a veces ganamos y que a veces perdemos; que en ocasiones las pérdidas de algunos serán las ganancias de otros. Es algo inevitable, porque nada nos libra de la influencia de la Ley del Ritmo. Este principio establece que «todo fluye y refluye; todo asciende y desciende; el ritmo es la compensación".

El universo procura buscar el balance siempre y, al

hacerlo, en el proceso, habrá quien esté arriba y quien esté abajo. En este caso nos tocó a nosotros y a muchas otras islas del Caribe perder con el paso de los huracanes Irma y María. Jamás olvidaré una entrevista que le hicieron al director del Centro Nacional de Meteorología de Puerto Rico, Roberto García, a raíz del impacto de Irma en varias islas del Caribe. En ella explicó de una forma clara y sencilla los elementos que llevan a la formación de estos fenómenos.

El meteorólogo señaló que durante los meses de agosto y octubre la temperatura del mar aumenta considerablemente y al hacerlo funciona como «gasolina» para la formación de los sistemas. Reveló además que al desarrollarse las tormentas y huracanes estos sistemas arrastran toda esa energía de calor hacia los polos, mientras los frentes fríos que bajan del norte ayudan a que desciendan las temperaturas en el trópico. «Los huracanes son males necesarios. Si no existieran los huracanes, el planeta se va a inventar otra forma de crear el balance», puntualizó.

Así que ese huracán que nos ha desbalanceado la vida, sencillamente estaba haciendo su trabajo. María no fue un monstruo que vino a atacarnos con saña y una agenda personal. No le otorguemos a la naturaleza una intención más allá de reestablecer el balance en un planeta cuyas energías llevamos décadas trastocando. Al observar la naturaleza podemos ver la Ley del Ritmo en acción todos los días. El problema es que al vivir desconectados de ese ritmo natural se nos olvida que existe y en el momento en que el péndulo no se mueve a nuestro favor, entramos en pánico y desesperación en vez de respirar y esperar a que el balance se restablezca.

Algo que me ha recordado el huracán María es que

cuando podemos anticipar y prepararnos para los ciclos que son consecuencia natural de la Ley del Ritmo, evitamos un impacto mayor y disminuye el sufrimiento que lo acompaña. Hay situaciones para las que no podemos prepararnos del todo. Una persona, por ejemplo, puede tener un estilo de vida saludable y aún así ser diagnosticada con cáncer en algún momento. Pero para un cuerpo que está en condiciones óptimas será mucho más facil combatir una enfermedad como el cáncer, que para uno que ya venía deteriorándose como consecuencia de un estilo de vida poco saludable.

La Ley del Ritmo, ese movimiento del péndulo y la búsqueda natural del balance, no solo se manifiesta a nivel del cosmos y del planeta, sino también a nivel personal e individual. Esos mismos ciclos influyen en nuestra salud física o estado emocional, en nuestras finanzas o desarrollo profesional, así como en nuestras relaciones interpersonales. Aquellos que viven en *mindfulness* o presencia mental, están presentes en cada momento con ellos mismos y su entorno. Por eso, pueden fluir con los ciclos mucho mejor que las personas que se resisten a reconocerlos o están ajenas a estos.

Si llevas muchos años en un área de negocio, por ejemplo, debes conocer sus periodos de altas y bajas. Si tengo una hospedería y sé que la temporada alta de turismo en Puerto Rico es de noviembre a abril, me preparo para cuando llegue el ciclo bajo. Es probable que disminuya los gastos y procure ser más agresiva en mi estrategia de mercadeo durante ese periodo de tiempo. Lo que no debo hacer es empezar a quejarme tan pronto disminuyan los ingresos del negocio. No sería lógico drenar mi energía ante una situación para la que debí haberme preparado al reconocer que ese ciclo iba a llegar.

Si sé que tendré un mes que va a estar muy cargado por razones de trabajo o situaciones de familia, evito añadirle más carga. Me organizo con anticipación para lo que viene y no me comprometo a cumplir con aquello que pueda abonar a sentir más estrés y ansiedad. La Ley del Ritmo nos recuerda que todo pasa y que si nosotros lo permitimos podremos en algún momento encontrar un mayor balance. Sobrevivir física y emocionalmente los ciclos de vida, sin embargo, requerirá desarrollar paciencia, fe y capacidad para la introspección. De la misma forma en que las aguas vuelven a su nivel después de una tormenta, el balance se irá restaurando en nuestras vidas poco a poco con la esperanza de que ese «nuevo normal» del que tanto se ha hablado —el modo de vivir que hemos adoptado tras esta crisis— nos encuentre más resilientes y con mayor capacidad para establecer nuestras prioridades de forma correcta.

Ejercicio de transformación 5:

1. ¿Cuál fue tu peor momento durante esta crisis post huracán y cómo te diste cuenta de que lo estabas superando?

2. ¿Qué ciclos de altas y bajas puedes identificar en tu vida? ¿Cómo podrías haberte preparado mejor para ellos?

3. Completa la siguiente oración:

«De ahora en adelante, cuando observe que en cualquier aspecto de mi vida el ritmo fluye en mi contra procuraré_____

_____

_____».

Capítulo VI

Herramienta 6:
LEY DE CAUSA Y EFECTO
(LEY DEL KARMA)

*«Toda causa tiene su
efecto y todo efecto tiene
su causa».*

Nada ocurre por casualidad

Así describí en mi página de Facebook cómo me sentía a dieciocho días del huracán:

«Seguimos viviendo nuestra nueva rutina. De repente ya no hay filas para la gasolina, pero siguen en los supermercados y para utilizar los cajeros automáticos. En el área metro el tráfico sigue siendo horrible a todas horas, así que hay que armarse de paciencia.

Ha comenzado a llegar el servicio de energía eléctrica a más lugares y eso facilita la vida a muchas familias que, a su vez, ayudan a otros haciendo hielo y lavando ropa.

Ayer viajé hasta Rincón para ver cómo estaba el apartamento de playa que tengo allí hace catorce años. Dando gracias porque los daños, tanto al edificio como a mi propiedad fueron mínimos, pero con el corazón partido por mis vecinos

de los dos edificios aledaños al mío. El mar y los vientos los golpearon duro. Uno de ellos tendrá que ser demolido y con el otro se está intentando ver cómo se puede salvar.

El pueblo de Rincón como tal no está tan mal, pero la costa en el área oeste está destruida. Pude llevar agua, fórmula de bebé, leche y otros artículos gracias a las gestiones de Liliana Cubano y su equipo de voluntarios y a Ana, quien a pesar de haber perdido su casa todavía tiene mucho que dar. Gracias por su ayuda.

Pronto comenzará la temporada alta de turismo de la que tantos dependen allí. Ojalá que la electricidad llegue pronto para poder empezar a mover la reconstrucción.

Al salir del área metropolitana te percatas de cómo el paisaje de Puerto Rico cambió. Es como si alguien hubiese agarrado un soplete de norte a sur y de este a oeste y hubiese quemado toda la vegetación en las capas más altas. Solo en las más bajas se ven los parchos de verdor. Es un paisaje de invierno, un marrón que arropa, pero con temperaturas de verano.

Pero, ¿saben qué? Me conmueve el hecho de que aún así la isla se ve espectacularmente bella. Nos vamos a levantar y los hoteles se van a volver a llenar de turistas (porque ahora están a capacidad, pero de militares y rescatistas). De eso no me cabe duda.

En Hatillo me encontré con dos semáforos funcionando. Hacía tanto tiempo que no veía un semáforo con luz que por poco me da un infarto. Lo tomé como una señal divina de que como bien dice la canción, «pasito a pasito, y suave, suavecito», y llorando todos los días un poquito por el dolor de tantos, nos vamos recuperando. Seguimos viviendo un día a la vez y celebrando los pequeños logros de todos los días».

A medida que pasaban las semanas y los meses, y que en algunas áreas más que en otras se iba normalizando la situación poco a poco, me empezaba a percatar de cómo esta crisis posiblemente fuera necesaria para elevarnos a otro nivel como individuos y como nación. De primera intención podría parecer que el golpe lo que ha hecho es atrasarnos, pero nada más lejos de la verdad. Si observamos con detenimiento encontraremos que ya estábamos atrasados, y que tal vez era necesario que llegara el huracán María a arrasar con todo lo que nos distraía para poder enfrentarnos con esa realidad que ignoramos por décadas.

Durante años he criticado a aquellos que cuando nos salvábamos de una tormenta o huracán declaraban: «No pasó por aquí porque Puerto Rico está bendecido». ¡¿En serio?! ¿O sea que los lugares que son destruídos por esos fenómenos no están bendecidos? ¿O tal vez resultaron menos bendecidos que nosotros? Si seguimos esa línea de pensamiento, tal parecería que en el 2017 a Puerto Rico se le agotó la cuota de bendiciones. O, por el contrario, podríamos pensar que no es cuestión de bendición o falta de ella, sino el resultado de nuestras propias acciones. En estos momentos el huracán María nos tocaba a nosotros y punto.

La Ley de Causa y Efecto, mejor conocida como la Ley del Karma (término sánscrito que significa «acción») estipula que «toda causa tiene un efecto y todo efecto tiene su causa». En la práctica, este principio lo que nos dice es que nada ocurre por casualidad, sino que todo es el resultado de alguna acción, palabra o pensamiento que hemos generado en algún momento. Esto querría decir que en realidad no existen las «injusticias», ya que todo lo que ocurre, aun aquello que nos puede parecer cruel y sin sentido, tiene una razón de ser. Reconocer esta verdad nos ayuda a desviar la energía que por lo general invertimos en alimentar el coraje irracional para dirigirla a donde verdaderamente tiene que ir: la transformación.

Cuando se estudia en detalle la Ley de Causa y Efecto se aprende que hay karma individual y karma colectivo. Este momento de crisis se convierte en una preciada oportunidad para crecer cada uno como persona y en grupo como nación. Pero lo que leía y escuchaba a través de las redes sociales en la etapa de recuperación después de la tormenta, en vez de calmarme y darme paz, lo que hacía era revolverme el estómago. La lentitud e ineptitud en muchas decisiones gubernamentales agravó esta crisis. Eso no es un secreto para nadie. No obstante, se sabe que el deterioro en la infraestructura de los servicios básicos en la isla ha sido responsabilidad de muchas administraciones.

Entiendo que las redes sociales se conviertan en un vehículo que nos permita ventilar frustraciones y denunciar situaciones que antes tal vez nunca hubieran salido a la luz pública. Lo que me da mucha pena es el lenguage que usan algunas personas al comunicarse a través de esos medios. El coraje es una emoción natural ante pérdidas como la que hemos tenido que afrontar. Lo que no entiendo, porque conozco cómo opera la Ley de Causa y Efecto, es cómo seguimos destilando veneno y a cambio esperamos recibir un néctar refrescante que nos calme la sed. Lo que das es lo que recibes, y conviene tener muy claro que ni las palabras ni los pensamientos se los lleva el viento porque en el mundo de la energía nada desaparece, sino que todo se transforma.

¿Cómo podemos utilizar la Ley de Causa y Efecto para crear causas (acciones, pensamientos o palabras) que generen efectos (resultados) de menor sufrimiento y mayor paz y bienestar? Como individuos debemos comenzar a asumir responsabilidad por nuestros defectos y debilidades, y a dar pasos para corregirlos. Necesitamos vigilar no solo nuestras acciones, sino también nuestras palabras, pensamientos y las motivaciones de estos. Dejemos de echarle la culpa a los demás por todos nuestros males y comenzaremos a tomar control de nuestras vidas.

Como nación tenemos la capacidad para empezar a tomar mejores decisiones en torno a las personas que dirigirán el futuro de nuestro país. Podemos aprender a exigir sin insultar y a diferir sin odiar. Nos creceríamos si comenzáramos a comprometernos a dar aunque sea un poco de lo que poseemos: nuestros talentos, dinero o tiempo para ayudar a aliviar la injusticia social que siempre ha existido en Puerto Rico, pero que el huracán María destapó.

Si interpretáramos esta experiencia —y todo el sufrimiento que ha generado— a la luz de los principios de la Ley de Causa y Efecto, tendríamos que concluir que el huracán María nos azotó porque a nivel colectivo teníamos una deuda kármica que debíamos pagar. Contrario a lo que muchos piensan, la Ley del Karma no es un castigo o una recompensa divina, sino una oportunidad para devolver el balance a aquello que en algún momento se ha trastocado. ¿Cuál específicamente fue la causa que desembocó en este efecto? Ese es el gran misterio del

karma, que no vamos a obtener explicación de la mayoría de los efectos que hoy definen de alguna forma nuestras vidas. Lo único que les puedo decir es que esta experiencia me ha recordado la necesidad de estar aún más consciente de mis palabras, acciones y pensamientos y del karma positivo o negativo que puedan estar generando. Los invito a hacer lo mismo para de esa forma observar desde otra perspectiva los pequeños y grandes sufrimientos de hoy, mientras crean una mejor calidad de vida para mañana.

Ejercicio de transformación 6:

1. ¿Puedes identificar efectos en tu vida que entiendes son el resultado de algún karma negativo que has acumulado?

2. ¿Puedes identificar efectos en tu vida que consideras «bendiciones» o efectos de karma positivo que has acumulado?

3. Ahora que conoces la Ley de Causa y Efecto y eres más consciente del efecto de tus palabras, pensamientos e intenciones, ¿qué patrones negativos quisieras modificar?

Capítulo VII

Herramienta 7:
LEY DE GENERACIÓN

«Todo tiene su principio
masculino y femenino».

Reinventándonos de mente y corazón

Dos meses después de la tormenta, al cruzar la isla de norte a sur, ya era posible llenarse los pulmones de verde. Muchas de las áreas que habían sido «quemadas» por los implacables vientos del huracán María ya habían renacido. Ese nuevo verde, sin embargo, es distinto al original. Las montañas están pintadas de otros tonos y reflejan una brillantez que no estaba allí antes. La vida no se detiene y la naturaleza se regenera. Es posible que nunca sea igual, pero ¿quién dijo que lo diferente no puede ser mejor?

La Ley o Principio de Generación dice lo siguiente: «Todo tiene su principio masculino y femenino». Esta ley no tiene nada que ver con el sexo o el género, sino con las cualidades que son necesarias para que se manifieste un proceso de creación. De la misma forma en que cada uno de nosotros somos el producto de un óvulo y un espermatozoide, el universo entero se genera a través de la unión de elementos masculinos y femeninos.

Desde los animales y las plantas hasta los polos magnéticos, la manifestación de toda energía resulta de la fusión de ambos aspectos.

Desde el punto de vista energético, el aspecto femenino se le atribuye a cualidades esencialmente «maternales» como pueden ser el amor, la paciencia, la intuición y la amabilidad, entre otras. La energía masculina, por su parte, se relaciona más con características como la acción, la autosuficiencia, la lógica y el intelecto, entre otras manifestaciones que a nivel de género se han identificado con el hombre. Independiente de nuestro sexo biológico, cada uno de nosotros posee internamente ambos aspectos de esa naturaleza cósmica. El hecho de que esas cualidades estén latentes o se manifiesten, que escojamos o no identificarnos con ellas, será el resultado del modelaje social, de la crianza y el proceso individual del despertar de conciencia que tengamos cada uno.

El azote del huracán María nos ha dado la oportunidad a todos en Puerto Rico, o a todos los que así lo escojamos, de ver la Ley de Generación en acción a nuestro alrededor. La fauna y la flora reclaman sus espacios para sobrevivir. En las semanas y meses posteriores al fenómeno se hablaba mucho en los medios de comunicación acerca de la necesidad de proteger a las abejas y hasta a los murciélagos, ya que ambos cumplen importantes roles en los procesos de reforestación. Entre plantas y animales, unos receptores y otros emisores, se manifiesta la danza de la polinización para que se genere nueva vida.

En este proceso, como bien señala la Teoría de la Evolución de Darwin, los más aptos sobrevivirán. Los más «aptos» seremos aquellos que podamos adaptarnos a los cambios provocados por este golpe de la naturaleza. En un artículo muy interesante publicado luego de la tormenta, expertos explicaban que las plantas y los frutos que se regenerarán con más rapidez serán los autóctonos del Caribe. La naturaleza es sabia y reconoce que esas especies tienen todo lo que se necesita para adaptarse a las secuelas de este tipo de fenómenos porque nacieron en tierras que han afrontado huracanes desde hace siglos. Aquellas especies que, por el contrario, fueron importadas de otras tierras, corren mayor riesgo de perderse o al menos requerirán más tiempo para regenerarse. Así que no debe sorprendernos que nuestro entorno vegetativo se vea diferente, porque el proceso natural de regeneración que se da puede llevar a que algunas especies ocupen el espacio de otras. Nuevamente, el resultado no será el mismo, pero es posible que hasta resulte mejor.

Y mientras las energías masculinas y femeninas en nuestro entorno van coreografiando su danza de regeneración, ¿qué pasa con las nuestras? ¿Cómo nos regeneramos nosotros? La Ley de Generación explica el proceso de creación de la siguiente manera: primero nace la idea, que es la manifestación de la energía masculina. Tras la idea llega el aspecto femenino, que se proyecta a través de la pasión o el deseo de hacer que esa idea se convierta en una realidad. Y es a raíz de la unión de estos dos aspectos, la mente y el corazón, que comenzamos a «parir» nuestro proyecto, a caminar hacia la meta en pos de nuestro propósito.

Tomemos como ejemplo este libro. La idea de escribirlo y publicarlo surgió luego de apreciar las reacciones de tantas personas a través de las redes sociales acerca de lo que yo

compartía en mi página de Facebook o en la columna que escribo para el diario Metro de Puerto Rico a raíz del azote del huracán María y las secuelas que sufrimos. Pensé que sería buena idea recopilar todos estos escritos en un libro que pudiera servirnos de recordatorio de lo que vivimos y de lo que aprendimos o pudimos haber aprendido en el proceso. ¿Por qué decidí enmarcar estas herramientas en las Siete Leyes Universales? Honestamente no recuerdo, pero sé que fue algo que me pareció útil para darle coherencia al mensaje que quería llevar. En ese momento se manifestaba el aspecto masculino de mi proceso creativo.

Pero esa idea se pudo haber quedado en el tintero si el corazón no se hubiese activado. Tan pronto comencé a participar en actividades para llevar suministros a personas afectadas por el huracán y a ofrecer charlas de apoyo a diferentes grupos, se estrechó la conexión emocional con las necesidades de tanta gente y el dolor que mostraban ante sus pérdidas. La conmovedora desesperanza de algunos y las poderosas lecciones en resiliencia de otros despertaron en mí un compromiso amoroso, un deseo de aliviar de alguna forma tanto sufrimiento. Ahí se activó el aspecto femenino del proceso. El resultado, el «hijo» de ambas energías, es este libro que tienes en tus manos en estos momentos.

En nuestro país escuchamos y leemos todo el tiempo acerca de grandes ideas que pueden transformarnos y aportar a que en el futuro podamos enfrentar crisis como estas de forma más saludable. Mi miedo es que esos conceptos se queden precisamente en eso, en pensamientos guardados en documentos que nunca se convertirán en realidades. Para poner a «parir» esas ideas, necesitamos el corazón, la pasión y las ganas. Tendríamos que desear profundamente un cambio y exigírselo a aquellos que tienen en sus manos el poder para tomar decisiones. Ese proceso no siempre es fácil porque los intereses creados son muchos. Pero aun así lo hemos visto, en el empoderamiento de tantos grupos de base comunitaria que han decidido moverse y actuar para transformar sus entornos. Le han metido mano con entusiasmo contagioso a proyectos que nacen del conocimiento profundo de sus comunidades, sectores a los que muy pocos en las altas esferas estarían dispuestos a abrirles las puertas.

De la misma forma, podemos sentir el deseo de lograr algo sin que haya un plan detrás del entusiasmo. Podemos sentir, por ejemplo, una necesidad enorme de cambiar de trabajo, de dar el viaje de nuestros sueños o de romper una relación tóxica. El corazón puede estar ahí, pero sin una estructura, sin un plan sobre cómo llegar hasta la meta, ni nuestros sueños ni esa mejor calidad de vida se van a generar. Todas las crisis nos obligan de alguna forma a reinventarnos y regenerarnos. Ser aptos quiere decir aprender a aceptar lo que tenemos y, a partir de ahí, comenzar a crear algo nuevo y más útil. El Principio de Generación nos provee el mapa para el renacimiento, pero no todos están dispuestos a hacer el trabajo. Para algunos es más facil sentarse a esperar que otros lo hagan por ellos. Requiere mucho menos esfuerzo ser víctima que ser sobreviviente.

He conocido muchísimas personas que se han reinventado y regenerado después de múltiples crisis, luego de haber vivido situaciones de las que no sé si me hubiese podido levantar. He escogido agarrarme de sus ejemplos y

jamás olvidarme de ellos. Te invito a que te des la oportunidad de renacer después de esta o cualquier otra crisis en tu vida. Identifica el espacio físico y/o emocional a donde quieres llegar; inyéctale la fuerza de tu pensamiento y la pasión de tu corazón; y comienza a caminar.

Ejercicio de transformación 7:

1. ¿Qué has logrado generar en tu vida a raíz de esta y otras crisis que hayas vivido?

2. Recuerda la última meta que alcanzaste o proyecto que lograste concluir. Identifica el aspecto masculino y femenino en el proceso de creación.

3. Piensa en un proyecto o meta que no has logrado alcanzar. ¿Dónde está el obstáculo y qué puedes hacer diferente para activar la Ley de Generación en esa situación?

Conclusión

Desde el año 2001 mi hogar ha sido la sede del almuerzo familiar del Día de Acción de Gracias. Para mí, que procuro agradecer y reconocer todos los días las muchas bendiciones que tengo, ese día no es otra cosa que una excusa para reunir a la familia, además de algunas amistades, y así darle la bienvenida a la Navidad. En 2017, al María dejarme sin energía eléctrica para esa fecha, tuvimos que mover la celebración a la casa de una de mis hermanas.

Pero la ubicación del festejo no fue lo único que cambió, también cambió el grupo. La mayoría de mis sobrinos vive ahora fuera de Puerto Rico y mis dos titís estuvieron más de un mes refugiadas en Florida esperando que les volviera la luz. Aun entre los que estábamos en Puerto Rico no parecía haber mucho ánimo de celebrar, así que terminamos siendo seis personas cuando antes solíamos ser entre veinticinco o treinta. Estoy segura de que si yo no hubiese insistido, ordenado el pavo y organizado el asunto, no habríamos disfrutado del almuerzo de Acción de Gracias. Y no les puedo negar que por momentos me sentí culpable de querer intentar regresar a la normalidad, aunque fuese de forma adaptada.

Esa semana decidí también comenzar a encender la Navidad en mi casa. Había comprado bombillitas de baterías para poner adentro y solares para la parte de afuera. No saqué el árbol, pero sí mis nacimientos. Una de mis primas me dijo que este año no sentía que había ánimo para celebrar y que ella no pensaba decorar. Yo respeté su opinión, aun cuando no coincidía con ella. Conozco personas que a pesar de haberlo

perdido todo buscaron darle luz a sus nuevos o viejos espacios, decorándolos con detalles que les devolvieran algo de alegría. Conozco comunidades que con una batería de carro encendieron su calle. Nunca dejará de sorprenderme la capacidad de mi gente para levantarse luego de una crisis.

Hay algo acerca de las bombillitas, los aromas y los aires de la época navideña que me despierta una callada alegría. Mientras decoraba me preguntaba qué sería... y de repente me encontré conectada con mi niñez, que a pesar de que no fue perfecta, me hizo el ser humano que soy hoy. Así que luego del impacto de dos huracanes, Irma y María, en 2017 encendí oficialmente la Navidad en honor a aquellos que todavía no podían hacerlo; a los que escogen celebrar la vida a pesar de todo; y a quienes alimentaron de ilusión a una niña que todavía por momentos se niega a crecer.

Gracias a todos por estar en mi vida y por darle cada día más propósito. Que nunca se nos olvide lo que nos dejó María, las fortalezas que nos ayudó a descubrir y las debilidades que salieron a la luz en medio de la oscuridad. Cada uno de nosotros tendrá, por ley natural, que atravesar por crisis individuales, y estoy segura de que esta no será la última que compartiremos. Espero que de ahora en adelante la vida nos sorprenda más preparados: balanceados, resilientes, compasivos y creativos. Si trabajamos en desarrollar estas cualidades, no habrá viento alguno que pueda tumbarnos. Así sea.

BIBLIOGRAFÍA

Méndez, Conny. *Metafísica 4 en 1*. Bienes Lacónica, 1988.

Kübler Ross, Elizabeth y Kessler, David. *On Grief and Grieving: Finding the Meaning of Grief Through the Five Stages of Loss.* Scribner, 2005.

Kotsos, Tania. *The Seven Universal Laws Explained. Mind your reality*, http://www.mind-your-reality.com/seven_universal_laws.html. Accedido el 21 octubre de 2017.

BIOGRAFÍA DE LA AUTORA

Lily García es una reconocida comunicadora, motivadora, actriz, *coach* certificada de empoderamiento personal y tanatóloga puertorriqueña. Sus más de tres décadas de experiencia en la prensa escrita, la radio y la televisión, combinadas con sus conocimientos en psicología y espiritualidad práctica, la han convertido en una de las más solicitadas conferenciantes motivacionales de Puerto Rico.

Lily escribe una columna de motivación en martes alternos en el diario *Metro* de Puerto Rico. En televisión presenta un segmento titulado «Los secretos de los felices», todos los miércoles en el programa *Wapa a las cuatro*, que se transmite por Wapa TV en Puerto Rico y Wapa América en Estados Unidos continental. Además, participa con frecuencia como invitada en programas de radio y televisión para hablar sobre temas de motivación, autoayuda y manejo de pérdida. Esta es su octava publicación.

La autora está disponible para conferencias, seminarios y talleres.Para contrataciones, comentarios o sugerencias favor de comunicarse al (787) 234-6906.

E-mail: lily@lilygarcia.net

 Lily Garcia Fan Page

 @coachlily

www.lilygarcia.net

Otras publicaciones de la autora:

Los secretos de las personas felices: 30 herramientas
para vidas exitosas   2014

Libérate del sufrimiento   2013

CD Meditaciones: Yoga para tu mente   2012

Herramientas para volar   2010

Mueve las ruedas de tu vida: descubre el poder
de tus chakras   2007

Audiolibro: Herramientas en mi voz   2007

CD Meditaciones: Respira y sana   2006

Más herramientas para tu vida   2004

Mi caja de herramientas 2   2002

Mi caja de herramientas   2001

Made in the USA
Columbia, SC
12 January 2018